Gwraig i Wil
a Helynt Gwion

Mared Llwyd

Lluniau gan
Peter Stevenson

🔔 Dwy stori sy'n glir fel cloch 🔔

Gwasg Carreg Gwalch

I Hopcyn, Martha a Leusa –
tri o drigolion ieuengaf Tre Taliesin

© Gwasg Carreg Gwalch 2014
© testun: Mared Llwyd 2014
© lluniau: Peter Stevenson 2014

Dylunio: Elgan Griffiths

Rhif Llyfr Safonol Rhyngwladol:
978-1-84527-491-7

Cyhoeddwyd gyda chymorth ariannol
Cyngor Llyfrau Cymru.

Argraffwyd a chyhoeddwyd gan Wasg Carreg Gwalch,
12 Iard yr Orsaf, Llanrwst, Dyffryn Conwy, Cymru LL26 0EH.
Ffôn: 01492 642031
Ffacs: 01492 642502
e-bost: llyfrau@carreg-gwalch.com
lle ar y we: www.carreg-gwalch.com

Cyhoeddwyd ac argraffwyd yng Nghymru

Cynnwys

Eryr Gwernabwy

Roedd Eryr Gwernabwy – brenin
yr adar – yn hen, hen ac yn ddoeth,
ddoeth. Un diwrnod, wrth eistedd ar
ei ben ei hun bach ar graig fawr,
ymhell uwchben y byd, meddyliodd
pa mor braf fyddai cael gwraig yn
gwmni.

  "Ond nid unrhyw wraig,"
meddai'r hen eryr wrtho'i hun. "O,
na! Rhaid iddi fod yn wraig mor
hen ac mor ddoeth â fi!"

Ar ôl chwilio'n hir, daeth yr eryr ar draws tylluan fawr, lwyd, ddoeth iawn yr olwg ar gangen hen dderwen yng Nghwm Cawlyd.

"A-ha!" ebychodd Eryr
Gwernabwy. "Mae'r dylluan yma'n
sicr yn ddigon doeth i fod yn wraig
i fi. Ond ydy hi'n ddigon hen, tybed?"

Byddai'n ddigywilydd holi'r
dylluan faint oedd ei hoed,
meddyliodd yr eryr, felly aeth i ofyn
i'w ffrindiau am help.

Hedfanodd ar ei union i weld
Carw Rhedynfre, a oedd yn
pendwmpian ar wely o redyn y tu
ôl i hen foncyff.

"Bore da, Garw Rhedynfre,"
meddai'r eryr.

"Daria!" cwynodd y carw. "Ro'n
i'n breuddwydio'n braf! Beth sy'n
bod, eryr?"

"Hoffwn i briodi Tylluan Cwm Cawlyd. Ond, yn gyntaf, rhaid i mi fod yn siŵr ei bod hi'n ddigon hen. Wyddost ti faint yw ei hoed hi, garw annwyl?"

Ysgydwodd y carw ei ben. "Ddim yn union," meddai. "Weli di'r hen foncyff marw yma? Dwi mor hen fel mod i'n cofio hwn yn fesen fach. Mae'n cymryd tri chan mlynedd i dderwen dyfu, tri chan mlynedd iddi flaguro a throi yn goeden lawn, a thri chan mlynedd arall iddi farw.

"Ond roedd Tylluan Cwm Cawlyd yn hen pan oedd y boncyff hwn yn fesen fach!"

Yna, o weld yr eryr â'i ben yn ei blu, meddai'r carw:

"Ond dwi'n gwybod am rywun sy'n hŷn na fi. Cer i weld Eog Llyn Llyw – efallai y gall e dy helpu di."

Caeodd Carw Rhedynfre ei lygaid a mynd yn ôl i gysgu.

Hedfanodd Eryr Gwernabwy ar ei union i weld Eog Llyn Llyw. Daeth o hyd iddo'n nofio ymysg y cerrig.

"Sut ma'i, Eog Llyn Llyw?" meddai'r eryr.

"Daria!" cwynodd yr eog. "Ro'n i'n gobeithio y byddai fy nghuddliw yn ei gwneud hi'n anodd i ti 'ngweld i! Beth sy'n bod, eryr?

"Hoffwn i briodi Tylluan Cwm Cawlyd. Ond, yn gyntaf, rhaid i mi fod yn siŵr ei bod hi'n ddigon hen. Wyddost ti faint yw ei hoed hi, eog?"

Ysgydwodd yr eog ei ben.

"Ddim yn union," meddai. "Dwi mor hen â nifer y cen ar fy nghorff a nifer y smotiau ar fy mol i. Ond roedd Tylluan Cwm Cawlyd yn hen pan o'n i'n bysgodyn ifanc!"

Yna, o weld yr eryr â'i ben yn ei
blu, meddai'r eog:

"Ond rwy'n gwybod am rywun
sy'n hŷn na fi. Cer i weld
Mwyalchen Cilgwri – efallai y gall
hi dy helpu di."

Felly, aeth Eog Llyn Llyw yn ôl
i nofio'n hamddenol, a hedfanodd
Eryr Gwernabwy ar ei union i weld
Mwyalchen Cilgwri. Daeth o hyd
iddi'n sefyll ar garreg fechan mewn
nant.

"Helô, Fwyalchen Cilgwri,"
meddai'r eryr.

"Daria!" cwynodd y fwyalchen. "Ro'n i'n gobeithio y byddai fy mrest wen yn fy nghuddio i yng ngolau'r haul! Beth sy'n bod, eryr?"

"Hoffwn i briodi Tylluan Cwm Cawlyd. Ond, yn gyntaf, rhaid i mi fod yn siŵr ei bod hi'n ddigon hen. Wyddost ti faint yw ei hoed hi, fwyalchen?"

Ysgydwodd y fwyalchen ei phen.
"Ddim yn union," meddai. "Weli
di'r garreg yma dwi'n sefyll arni?
Erbyn hyn mae hi mor fach â dwrn
plentyn. Ond dwi'n cofio'r garreg
hon pan oedd hi'n graig enfawr na
allai tri chant o ychen ei symud.

"Bob nos cyn mynd i gysgu dwi'n miniogi fy mhig ar y garreg – dyna pam ei bod hi mor fach erbyn hyn. Meddylia pa mor hir mae hynny wedi cymryd! Ond roedd Tylluan Cwm Cawlyd yn hen pan o'n i'n gyw bach!"

Yna, o weld yr eryr â'i ben yn ei blu, meddai'r fwyalchen:

"Er fy mod i'n hŷn na Charw Rhedynfre ac Eog Llyn Llyw, dwi'n gwybod am rywun sy'n hŷn na fi. Cer i weld Llyffant Cors Fochno – os na all e dy helpu di, all neb!"

A dyma'r fwyalchen yn disgyn
ar ei chefn â'i thraed bach yn
chwifio'n wyllt yn yr awyr!

Ar ôl ei chodi, hedfanodd Eryr
Gwernabwy ar ei union i weld
Llyffant Cors Fochno. Daeth o hyd
iddo'n eistedd yng nghanol y gors,
yn agor a chau ei lygaid mawr oren
yn yr haul cryf.

"Pnawn da, Lyffant Cors Fochno,"
meddai'r eryr. "Cefais fy anfon yma
gan Fwyalchen Cilgwri. Hoffwn
i briodi Tylluan Cwm Cawlyd.
Ond, yn gyntaf, rhaid i mi fod
yn siŵr ei bod hi'n ddigon hen.
Wyddost ti faint yw ei hoed hi,
lyffant?"

Symudodd yr hen lyffant ddim.
Eisteddodd yn hollol lonydd, gan
anadlu a blincio, anadlu a blincio,
a gwthio'i ên i mewn ac allan,
i mewn ac allan. Aeth awr a mwy
heibio heb iddo ddweud 'run gair.

"Esgusoda fi, lyffant, tybed a wnest ti fy nghlywed i?" holodd yr eryr yn y diwedd. "Hoffwn i briodi …"

"Do, fe glywais i," meddai'r hen lyffant yn ffwr-bwt. "Wyddost ti mod i'n hoff iawn o lwch?"

"Llwch?" holodd Eryr
Gwernabwy'n ddryslyd. "Beth
sy gan hynny i'w wneud â'r peth?"
    Aeth hanner awr arall heibio,
a mwy o anadlu a blincio gan
yr hen lyffant.

"Does byth ddigon o lwch ar gael i lenwi fy mol i," meddai Llyffant Cors Fochno. "Weli di'r bryniau yna o gwmpas y gors? Dwi mor anhygoel o hen fel fy mod i'n cofio'r adeg pan oedd y ddaear yn hollol wastad. Dwi wedi bwyta'r holl lwch oedd yn arfer llenwi pob dyffryn, a'r tir rhwng pob bryn dros y byd i gyd.

"A dim ond un gronyn o lwch
fydda i'n ei fwyta bob dydd.
Meddylia pa mor hir mae hynny
wedi'i gymryd. Ydw, rydw i'n hen
iawn, iawn – mor hen fel nad
ydw i'n cofio bod yn ifanc. Ond
mae Tylluan Cwm Cawlyd
yn hŷn na fi."

"O, iawn, felly, ym . . ." dechreuodd
Eryr Gwernabwy.

"Prioda hi, y ffŵl gwirion!" meddai
Llyffant Cors Fochno yn swta. "A gad
lonydd i ni i gyd!"

O'r diwedd, cafodd Eryr Gwernabwy
yr ateb y bu'n gobeithio amdano.
Felly, hedfanodd yr eryr ar ei union
i weld Tylluan Cwm Cawlyd,
a gofyn iddi ei briodi.

Roedd yr hen dylluan wrth ei
bodd! Priododd y ddau, a daeth
y dylluan yn frenhines yr adar.
(Cafodd y carw, yr eog, y fwyalchen
a'r llyffant wahoddiad i'r briodas,
wrth gwrs!)

Chwedl Taliesin

Un diwrnod, penderfynodd Ceridwen y wrach wneud swyn i droi Morfran, ei mab hyllach na hyll a thwpach na thwp, yn hardd ac yn glyfar. Gwelodd yr union un yn ei llyfr swynion:

"Casglwch holl blanhigion prin y fro
A'u taflu i'r crochan mawr,
'Rôl berwi am flwyddyn a diwrnod, hei-ho –
Pwy sy'n hardd ac yn glyfar nawr?"

"Rhaid i ni ferwi blodau a
phlanhigion prin am flwyddyn
a diwrnod er mwyn creu hylif hud,"
gwichiodd Ceridwen. "Ar ôl i ti
yfed tri diferyn ola'r hylif, ti fydd
y bachgen mwyaf golygus
a galluog drwy'r byd i gyd!"

"O, diolch, Mami," meddai
Morfran gan bigo'i drwyn.

"Tyrd yn dy flaen, y penci
gwirion!" meddai ei fam
wrtho'n flin. "Mae 'na
waith i'w wneud!"

Aeth Ceridwen a Morfran ati
i gasglu llond trol o flodau
a phlanhigion prin a'u taflu i'r
crochan hud.

"Daria!" meddai'r wrach yn sydyn. "Rhaid i rywun gadw'r tân o dan y crochan ynghynn a throi'r hylif hud am flwyddyn a diwrnod. Dwi'n rhy brysur. A fedra i ddim dibynnu arnat ti, Morfran – rwyt ti'n rhy dwp!"

Aeth Ceridwen i chwilio am rywun addas i ofalu am y crochan. Daeth o hyd i fachgen ifanc o'r enw Gwion Bach a hen ddyn dall o'r enw Morda.

"Dwi am i chi ofalu am y tân
o dan y crochan hwn," gwichiodd
Ceridwen, "a gwneud yn siŵr fod
yr hylif hud sydd ynddo yn berwi
am flwyddyn a diwrnod. Dwi'n rhy
brysur. A fedra i ddim dibynnu ar
Morfran fy mab – mae e'n rhy dwp!"

"Beth sydd mor arbennig am yr hylif hud?" gofynnodd Gwion Bach.

"Wel . . ." atebodd Ceridwen.
"Pwy bynnag fydd yn yfed y tri
diferyn olaf, ar ôl iddo fod yn berwi
am flwyddyn a diwrnod, fydd y
person mwyaf golygus a galluog
yn y byd i gyd! Morfran fydd yn
eu hyfed nhw."

Mawredd! meddyliodd Gwion
Bach. Bydd angen mwy na thri
diferyn i droi Morfran yn olygus
a galluog!

Bu Gwion Bach a Morda'r hen ŵr yn torri coed a gwneud yn siŵr nad oedd y tân yn diffodd na'r hylif hud yn oeri. Yna, ymhen union flwyddyn a diwrnod, roedd yr hylif hud yn barod.

Yn sydyn, clywodd Gwion Bach
sŵn ffrwtian yn dod o'r crochan,
a thasgodd tri diferyn olaf yr hylif
chwilboeth ar ei fys.

"Awwwww!" bloeddiodd Gwion,
gan ddeffro Morda a oedd yn
pendwmpian ar ei stôl ger y
crochan. Rhoddodd Gwion ei fys yn
ei geg ar unwaith i'w oeri. Ac, wrth
gwrs, fe lyncodd y tri diferyn!

O'r eiliad honno, ef oedd y
bachgen mwyaf golygus a chlyfar
yn y byd i gyd.

"O, na!" llefodd Gwion. "Beth ydw
i wedi'i wneud? Bydd Ceridwen am
fy ngwaed i!"

"Beth ar wyneb y ddaear ydy'r holl sŵn yna?" Roedd Ceridwen wedi clywed y twrw, a phan sylweddolodd hi beth oedd wedi digwydd, aeth hi'n wyllt gacwn!

Sgrialodd Gwion Bach i'r goedwig
i guddio, gyda Ceridwen a Morfran
yn sgrechian yn dynn ar ei sawdl.

Yn ffodus i Gwion, roedd wedi cael dawn arbennig ar ôl llyncu'r hylif hud.

Yn gyntaf, trodd ei hun yn ysgyfarnog er mwyn dianc,

a throdd Ceridwen yn filgi chwim
er mwyn ceisio'i ddal.

Ond, pan oedd dannedd y milgi ar
fin cnoi ei gynffon, neidiodd Gwion
Bach i'r afon a throi'n frithyll.

"Aros di, y cena bach!" gwichiodd Ceridwen, gan newid yn ddyfrgi a llamu i'r dŵr ar ei ôl.

Wrth i'r dyfrgi ddod yn nes ac yn nes, neidiodd Gwion o'r dŵr a hedfan i'r awyr, ar ffurf aderyn bach.

"Ha! Fedri di ddim dianc, y ffŵl gwirion!" bloeddiodd Ceridwen. Trodd yn hebog mawr a hedfan ar ei ôl. Roedd hi ar fin ei ddal pan sylwodd Gwion ar sgubor fferm oddi tano.

Dyna le da i guddio! meddyliodd,
a phlymio i'r ddaear. Yn y sgubor
gwelodd fod miloedd ar filoedd
o ronynnau o wenith ar wasgar
ar hyd y llawr. Felly trodd Gwion
ei hun yn ronyn o wenith.

Erbyn hyn, roedd Ceridwen wedi glanio hefyd ac yn chwilio'n wyllt amdano.

"Hy! Chaiff y bwbach bach 'na 'mo'r gorau arna i!" gwichiodd, gan droi ei hun yn glamp o iâr fawr dew, a mynd ati i fwyta pob un gronyn – gan gynnwys Gwion Bach!

Ymhen amser, cafodd Ceridwen fabi bach. Hwn oedd y babi harddaf a welodd unrhyw un erioed, ac fe wyddai Ceridwen yn syth mai Gwion Bach oedd e.

Er mor gandryll oedd hi gyda
Gwion am iddo lyncu'r hylif hud,
fedrai hi ddim lladd y babi tlws.
Yn lle hynny, rhoddodd e mewn
cwrwgl bach a'i wthio allan i'r môr.

Gwyliodd y cwrwgl yn diflannu dros y gorwel, cyn troi at Morfran:

"Reit, y ffŵl hyllach na hyll a thwpach na thwp, adre â ni!" gwichiodd.

"Iawn, Mami," atebodd hwnnw gan gosi ei ben-ôl.

Draw yng ngwlad Cantre'r
Gwaelod ym Mae Ceredigion,
roedd brenin o'r enw Gwyddno
Garanhir yn byw gyda'i fab, Elffin.
Roedd trap dal pysgod – cored –
gan Gwyddno ar draeth y Borth,
ac roedd y gored yn dda am ddal
pysgod o bob math.

Gan fod Elffin wastad yn brin o arian, roedd Gwyddno wedi addo y byddai'n cael gwerthu'r holl bysgod er mwyn cael mynd allan i fwynhau gyda'i ffrindiau.

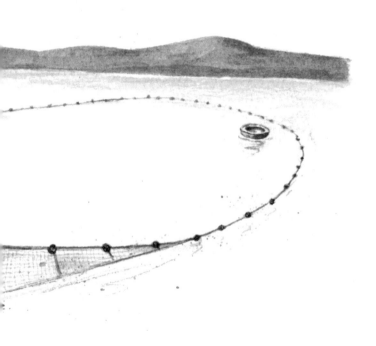

Ond ar fore'r cyntaf o Fai, pan aeth Elffin i edrych yn y gored, gwelodd ei bod hi'n wag.

"Daria las!" meddai'n siomedig. "Chaf i ddim mynd allan i fwynhau nawr!"

Ond yn sydyn, sylwodd Elffin ar gwrwgl bach, du wedi'i ddal yno.

Cododd y cwch bach o'r dŵr
a sbecian y tu mewn iddo.

"Wel, y nefi wen!" meddai'n llawn
syndod wrth weld y babi harddaf
a welodd unrhyw un erioed yn
syllu'n ôl arno. "Dyna i chi beth
yw tâl iesin – talcen hardd!"

A dyna sut y cafodd Gwion Bach
yr enw Taliesin.

Aeth Elffin â'r babi yn ôl i gastell
ei dad i fyw, ac roedd pawb yno
wedi dotio'n lân arno. Tyfodd
Taliesin i fod yn fachgen golygus
a chlyfar, a daeth yn fardd enwog.

Yn y cyfamser, 'nôl yn nhŷ
Ceridwen y wrach, âi Morfran,
druan, yn hyllach ac yn dwpach
bob dydd!